JOSSI STERN

SKETCHES AND DRAWINGS

HE.
title: ⸢Rishumim ve-tsiyurim⸣

INTRODUCTION BY

YEHUDA HAEZRAHI

THE ISRAELI PUBLISHING INSTITUTE LTD.

Printed in Israel 1965

It was all, seemingly, so very simple at first. Yossi Stern was a young lad to whom the gift of youth seemed eternal and who sang a song of youth eternal. His talents came to him naturally, bursting forth without effort like a spring welling from the rock, bursting with its own power, its waters flowing because they must. He sketched with his pen or with his brush and, as he sketched, his skill called attention to itself precisely because of the lightness, the simplicity and the self-confidence of his approach. His lines, clear and unhesitating, at the same time delicate and purposeful,—as delicate and as purposeful as youth—were drawn with pleasure and with confidence. He created for us an endless array of figures, a world full of happy boys in entertaining poses, of beautiful girls—or girls who at least believed themselves to be beautiful and attractive, all having their own charms, they were full of joys of life.

Yossi Stern has never been a caricaturist in the narrow meaning of the word. Caricature deals with the present, it analyzes social or political situations ; it points up that which is ridiculous and, at times, that which is ugly or absurd; its humor stings and its laughter is bitter. All these are alien to the approach of Yossi Stern. I would not even call him a humorist, although the element of humor is clearly discernible in most of his sketches. To me, it would seem that the classification most appropriate to this first stage of his work is simply "the smile". He smiled because youth smiles at the world and the world returns this compliment and smiles back at youth. At times, his smile spread further and widened into laughter. At times, the smile contracted and became hushed, and sometimes it even turned into sadness. But even this sadness was a smiling sort of sadness.

He did not ignore the life around him, neither its difficulties nor its ugliness and its suffering. He drew life as it was without attempting to obscure the truth and the tragedy that lies buried within it at times. Nevertheless, being Yossi, the smiling, eternally boyish artist, the reality that he set out to sketch underwent a metamorphosis. Its sharp contrasts were accepted with a chuckle, its sorrows had been turned into irony, its ugliness was viewed with forgiveness. Presented thus, in the framework of his sketches, reality became transformed before our very eyes into a thing of beauty. Re-organized, re-arranged, tightly controlled, its beauty could be accepted with joy.

Then came war. What could be worse than war? Whether defeat or victory is its outcome, it implies fear and destruction and death. Yossi Stern depicted this war with eyes wide open as were the eyes of all who took part in it, but, being an artist, with even more perception. Nothing escaped him : he saw everything around him and sketched everything. His brush illuminated even warfare with the bright and smiling light of youth. Here, for instance, we are shown a sumptuous building, its sides laid open by a pounding of shell-fire. The brush of the artist depicts with a light-heartedness that borders almost on joy the inner rooms now exposed, the staircase now demolished, the ladders that now reach from storey to storey, the arches laid bare, the roof that still retains half of its gimcrackery of ornamentation, the soldiers, some at their stations among the shattered walls and others, down below, sitting in a circle around a fire. In an incredible manner, destruction has been transformed into a new geometric tapestry of graphic forms that is beauty exultant. Here is a young soldier, but Yossi Stern has not shown him charging into battle, rifle and bayonet at the ready and his face distorted into animal ferocity. Instead, he has drawn him seated on the ground, steel helmet and automatic laid aside, a ruined village in the distance, with thorny weeds round about. The thorns are as beautiful as flowers. The soldier is writing a letter to his mother. This is war—a child with faraway dreams in his eyes, writing a letter to his mother. Here are two soldiers setting out for the hills. Yossi Stern has drawn them from behind, silhouetted in white, their backs tall and straight as towers, their rifles projecting up above their shoulders. Daringly, he has not hesitated to decorate the rifles with a few flowers stuck right into the barrels. They are going off to war, or returning from it, and a bunch of flowers blossoms from their instrument of death.

I had the opportunity to work with Yossi Stern on several occasions and to observe him as he drew. We have collaborated on a number of books ; I prepared the text, and he—the illustrations. "Work" is perhaps not the right word for him. His sketches were organized, perfected, well-ordered, disciplined works of art, and therefore deserve the appellation "work". But, in truth, he simply amused himself. He would take a clean sheet of paper and then another, laughing, joking, and his smiling pictures would appear, spontaneously. A wealth of plastic ideas would pour forth without pause; some turned into actual drawing on the spot, others evaporated and disappeared as fast as they had come, unmissed and unmourned, for there were others, new ones, to take their place. Hours would pass, but we felt no weariness ; it was almost like a gay party and at a gay party one is never tired. I am familiar with humorists well-known to the public, who, in private life, sink into a black melancholy. I am familiar with creative artists whose published works overflow with love for humanity but who are selfish in their private lives, devoted only to the pursuit of personal gain. The greater the surprise therefore, while I was working with Yossi Stern, to see such a close correspondence between this artist and his work. His broad-mindedness, his light-heartedness, his generosity of spirit, his affection for the figures of his creation, were all as evident in Yossi Stern the man as they were in the brush that he wielded.

This, I realized, was his smiling world. This was youth.

*   *   *

But in contradiction to the early *Weltanschauung* of Yossi Stern and to his concept of laughter as an ingredient in life, youth is not eternal. As youth grows old, the formerly smiling world ceases to smile. Those of us who are still attached to our youth can attain it only by self-deception or through nostalgia. Yossi Stern chose the path of nostalgia.

His road to nostalgia was difficult and complicated. The artist whose work had once flowed forth from his natural talents almost of its own accord, was now compelled to struggle with himself, to discipline himself, to pose questions which permit no answer, to search for his self in the cruel labyrinth which is his own being.

From sketching he turned to painting. For many years he now painted only in watercolors. He found aquarelle particularly fitted to his needs, since it is not necessary to wait for it to dry in order to "organize" the picture stage by stage. Everything can be finished at one time; it is spontaneous and decisive, and that gives it its fundamental freshness. This characteristic of aquarelle is, at least, present in the paintings of Yossi Stern. He blended the aquarelle (later he also used gouache) with his sketches into an organic whole; at times bringing in color as a kind of decorative and fantastic background to a sketch, in black and white; at other times, the colored background turned into calligraphy and the sketch was absorbed into it as a decorative feature, a textural enrichment. The pictures thus created were tapestries of free forms, full of surprises, always fresh, a wealth of bright colors, vivid violets and greens.

The subjects of these pictures were diverse. They included landscapes, figures of men and of animals, and entirely imaginary compositions. Surpassing them all, however, was one particular subject, which might be called "Jerusalem the Terrestrial". This Jerusalem on earth, this day-to-day, mundane, secular Jerusalem, simple and visible to every eye, served as the endless source for Yossi Stern's colorful shapes. The days of his youth had passed, but the quality of youth remained as it had been. Looking at the scenes of mountains and of streets, of the houses of Jerusalem and its landscape of human faces, everything seemed as new and as fresh to him as if he had only that moment seen it for the first time. The unruly smile of the youth has been curtailed. but his optimism and his *joie de vivre* remained unchanged; if anything, they had been refreshed and enriched just as the artist's imagination had been enriched in the transition from boy into man. From his subject he extracted a wealth of forms and colors. From Jerusalem he drew what might be called his inspiration. And to his subject, he gave in return from the wealth of forms and colors that he, as an artist, bore within himself, giving it new life and a new dimension.

Here is Jerusalem the terrestrial: surrounded by mountains, by olive groves and a veritable ocean of rocks. Here are the ancient houses of the Nachla Quarters, of Meah Shearim, of the Bokharian Quarter, woven together into a fantastic kaleidescope that the imagination of even the most daring of abstract painters would find it difficult to conceive. One window reaches out toward another, stairs twist from floor to floor in a disorder that has its own order, mysterious attics sprout from here and from there suspended as if in air, towers sprout forth from other towers and the hills surmount them all. Narrow alleys twist about, latticed gates open on them, domes and vaults and arches give echo to their lines. All are athrob with the lives of men and women and infants, all in continuous movement, for the element of motion is never lacking in the pictures of Yossi Stern. Lines of laundry hang and flutter across the full width of a street in the Bokharian Quarter, heavy-fleshed women in voluminous wraps are seen stooped over steaming tubs of washing. In the Machaneh Yehuda market, water melons are stacked up, piles upon enormous piles; here and there are shops like dark holes in the wall with fruit and country produce and some that offer old scrap or broken furniture; a crowd of buyers and hagglers from all the many varied

communities of Israel, each with his distinctive appear-
ance and special habits, different speech, unique customs
and particular dress. This is the "Ingathering of the Ex-
iles", a term that has become a cliché in Israel, but springs
to new life and vigour through the eyes of the artist and
his viewers. This crowd mills toward us along the twisting
alleys of the markets, noisy, alive and stirring. In Meah
Shearim the early risers have left their homes and walk
across the paving stones with weighty step, in kaftan and
furred hat, to participate in morning prayers. Yeshiva stu-
dents, small boys with huge tomes under their arms,
scurry to prayers and study, and Yossi Stern has not for-
gotten to curl and twist each separate strand of their long
side-curls. In the evening, Zion Square is crowded with
swarthy youths with pomaded hair, their lips graced with
mustaches thin and sinister, wearing jeans so tight that

they emphasize for all to see the flexibility of their youthful virility, their girl-friends tottering at their sides in perilously high heels, their chatter and their laughter spreading clearly from one jingling ear-ring to the other. At the same hour, a lonely moon lights up the Valley of the Cross, deserted by man, and in the vast stillness its light is violet, and silver and the rocks are reflected in their own light, silent too, violet and silver.

Yossi Stern, as I have said, painted his Jerusalem full of optimism and *joie de vivre*. He painted it as if it were terrestrial, secular, as if it were thus revealed—even to us— in its day-to-day life. But is this really Jerusalem, the ordinary day-to-day Jerusalem? Is it really possible to see it thus, or even similarly, without Yossi Stern as the intermediary? The answer is clearly negative. First of all, the nature of the artist's creation but his particular way of looking at it and that embodies within it the entire personality of the artist. Jerusalem is what it is and it is possible to see it in a myriad different and contradictory lights. Yossi Stern has chosen to see it thus for us and not otherwise, to describe it in the blending of its forms and colors, to add beauty to its suburbs and to its people, to give to all something of his love for life and the lightheartedness of his own personality. For lack of a better or more precise term, I would refer to this style of Yossi Stern as "romantic". I say romantic because his art seizes determinedly on nature and reality in order to depict an emotion of the spirit that is not to be found within them and towards which they are forced to aspire. The second reason is that Jerusalem itself, insofar as it resembles the drawings of Yossi Stern, is undergoing change in our days, relinquishing one form and assuming a new one. The old quarters that he loved have been demolished in part, and in part surrounded and squeezed in by more modern quarters, so that they have been almost smothered. Standardization is stealing its way everywhere. Once there were houses, now there are housing projects. Rectangular structures, multi-storied with lines that are straight and monotonous, are stuck to the peaks of the hills, obliterating the hills. Colorful garb and variegated appearance are likewise being obliterated. Yossi Stern painted *his* Jerusalem, romantic Jerusalem, as if it were eternal. Thus too, did he depict youth at one time. But this Jerusalem is undergoing change and will never be the same again. What was once its present, seemingly forever, has already turned into a past that it is possible to retain only in memory.

I have already hinted at the elements of nostalgia in the works of Yossi Stern. Is it really possible to speak of nostalgia in paintings that are so full of the freshness of optimistic colors, that are so full of love for every likeness depicted, that are so completely earthly? After all, nostalgia implies a glance cast at that which no longer is and will no longer be, a reaching out in to the light of the non-existent toward that which does not exist. Nostalgia is a feeling of loss and is therefore replete with sadness. Is it possible to describe the art of Yossi Stern in such terms? It seems that the answer is yes: if we are willing to look deeply. It was Heinrich Heine who spoke of "tragic optimism"; his expression may be considered appropriate.

Since 1960 there has been a new phase in the works of Yossi Stern. Until then, he had been acquainted—as is every artist of our generation—with the various schools of modern art, primarily the abstract. It would seem, though, that until that time he had been attempting to ignore all other schools, their problems and their solutions, immersed as he was in his own world, dedicated to his clear and confident drawings and to his figurative aquarelles, all in his own distinctive style. His development was gradual and careful, turning inwards, and would not be subjugated to any aesthetic commands, attractive and successful though they might be, that did not harmonize with his personality. From this point onwards, however, it was possible to discern clearly that his familiarity with the various schools of modern art, especially in the field of the abstract that he had till then rejected, would stand him in good stead. Influences that would have been dangerous had they obliterated his distinctive personality, were turned instead into fruitful blessings, because at that particular stage of his development he was ready to accept and absorb them. He gave up water-colors and began to paint in oils. Instead of the immediacy of the earlier medium that spread in one spontaneous movement of the brush across the paper, we find the pictures of his new period to be composed of a bright background emerging from depth, and on it, a multitude of dots of other colors, some bright, some dark, hesitant rather than energetic, seeming at times to be fluid; they blend together and sometimes, laid layer upon layer, they reinforce one another. Instead of the clear and full lines of his sketches, we see now a series of scratches, scratches that branch off here and there, that start and do not seem to finish, that become confused with each other, that hint at something but make no clear statement. Instead of the direct relationship to his declared subject—be it even a romanticizing relationship—we see now only an interweaving of new forms, purely imaginary, in an internalized style that has as its subject not a specific time nor specific place but something else, not revealed, hidden, that is situated beyond these. Instead of the simple and energetic light that was spread on the drawings and the watercolors of Yossi Stern, we see in the recent oils a different, mystic light, that shines outwards from the interior of the painting. Formerly the color was lit, now it casts its own light.

Let us compare two of his pictures. The first, from his earlier period, depicts a cluster of buildings somewhere in Jerusalem. Probably they are not to be found in reality, the artist has joined together, for the purpose of his composition, the shapes of various houses from different quarters of the city and added to them much from his own imagination that suited his style. We cannot identify the subject precisely, but we should be correct in saying: "This is a corner of Jerusalem". The open shutters of the houses are sketched with precision, the archways are darker than the walls, the stairways lead from one storey to another, the courtyards are shut off by latticed gates. They are strange houses, somewhat toy-like, somewhat theatrical, but very human nevertheless. The second picture, however, from his later period, though it deals seemingly with the very same scene, is entirely different. There are no clear sketches, only lopped off scratches that dart about in all directions. We do not know which is the door and which the window. The arches do not lead into a room but into an undefined depth, perhaps into infinity itself. The balconies are wounded, shattered, crooked, attached to a void. The stairways that once, in all their convoluted complexity, led from one floor to the next and finally reached the longed-for attic, now jut out in oblique lines and mount and mount towards nowhere. The same mystic light illuminates them and they are touched by a modicum of compassion, but there is no knowing from whence it came nor why, nor what its source, nor for what cause it seeks to comfort.

It is possible that I see in pictures such as these some of the reflections of my own thoughts. This seems quite legitimate to me; every observer is entitled to see in the work of the artist that which he desires to see in it—but only on the condition that he shows respect for the artist, for the artist's individual personality, and on the condition that he has investigated to a sufficient degree and with as great an objectivity as possible, the form of his work, out of a desire to understand his particular artistic direction, his motivation and his objectives. In any case, when I look at these pictures I feel in them something entirely new, something that has never before been seen in Yossi Stern and which it had seemed would never come to him; the sensation of pain that cannot be restrained and of suffering that has made its presence felt and, once having been present, can never again be obliterated.

This is the same artist; even without the signature it would be easy to identify the painter of these pictures. If you wish, you may find in them all the elements that have typified the works of Yossi Stern in all the stages of his development: the spontaneous sketches, the light and merry smile, unlimited romanticism, colorful brightness, the fascination of interwoven shapes, the optimism. All these are to be seen here for they are part of his personality, as fashioned slowly from the days of his youth. Nevertheless, there is nothing in them that will blur— perhaps, even, there is something in them that will emphasize—the new ingredient, that sense of threat, the sensation of pain that cannot be restrained, the suffering. Apparently this artist who had always walked his way singing the song of life, happened one day, for some reason, to pause and to look beyond life.

BIOGRAPHICAL NOTE

Yossi (Joseph) Stern was born in 1923 in the village of Kayar in the Bakon mountains of Hungary. At the age of ten he moved with his family to Budapest, the capital, and six years later, in 1939, as the clouds of war were gathering over Europe and the Nazi hordes were spreading ever eastwards, he managed to join a group of young refugees who were setting out on the perilous route to Palestine, then under British administration, on a small vessel, the "Zechariah". The ship finally reached Palestine in early 1940, but Yossi Stern, together with all the other passengers, was arrested by the authorities as an "illegal immigrant" and detained in a prison camp for six months. On his release, he was cared for by Youth Aliyah and the Betar youth organization. He received agricultural training in various villages, from Rosh Pinah in the north to Rishon Letzion in the south, working in orange groves, in tobacco fields and on road building. In 1943, thanks to a group of friends and with the assistance of Youth Aliyah, all of whom recognized his early artistic promise, he was given the opportunity of studying at Palestine's foremost art institute, The Bezalel School of Arts and Crafts in Jerusalem, under its then director Mordecai Ardon. Three years later Yossi Stern graduated, winning the Hermann Struck Award as Outstanding Student, and was immediately engaged by the school as an instructor in Elements of Graphic Art and in Illustration, a position that he holds to this day. In 1947 he embarked upon his first major work as

an illustrator, in the volume **Menorat Hazahav** (The Golden Lamp) of Asher Barash, for which he did the woodcuts. Book illustration continued to be one of his major fields' and among the scores of books which he has illustrated are the collected poems of Miriam Yalon-Steckelis, the epigrams of Hananiah Reichmann, the stories of A. Ashman, a volume of sketches based on a popular radio program by Yehuda Haezrahi and Yitzhak Shimoni called **Shlosha Besira Achat** (Three in a Boat), the tales of Shakespeare and others. In 1947, he had his first one-man exhibition in Yonas Gallery, Jerusalem.

In 1947, as Israel's struggle for independence entered its final and decisive phase, Yossi Stern served as "war illustrator". He was in Jerusalem throughout the siege of the city as staff artist of the Army's Jerusalem weekly **Magen** and, after the siege was lifted in the summer of 1948, he joined the staff of the official army weekly **Bamachane.** That same year he published a highly successful book, **Begius Maleh** (Total Mobilization), a selection of sketches of his war-time experience. That year he also held a one-man exhibition at the Mikra Studio gallery in Tel-Aviv.

In 1949, on a grant from the Israel Ministry of Education, he went to London to study for a year under John Minton, a member of the faculty of the Royal College of Art. He spent the following year painting and studying in Paris and, on his return to Jerusalem in 1951, held a one-man show in the Artist's House. A volume of sketches dealing with life in the premilitary units for Israel's high-school students, **Beohalei Gadna,** rather on the lines of his earlier collection of wartime sketches, was published later that year.

In 1952, Mikra Studios of Tel-Aviv published an album, **Jerusalem,** consisting of water colors and pen-and-ink sketches by Yossi Stern. At this time, he became a regular contributor to a number of daily and weekly newspapers. Since 1954, he has made regular tours of the art centers of Europe in France, Holland, Italy and Greece. He had one-man shows at the Rinah Gallery, Jerusalem (1950), at the Chamerinski Gallery, Tel-Aviv (1963) and at Bet Haam, Jerusalem (1964).

Drawings in oils

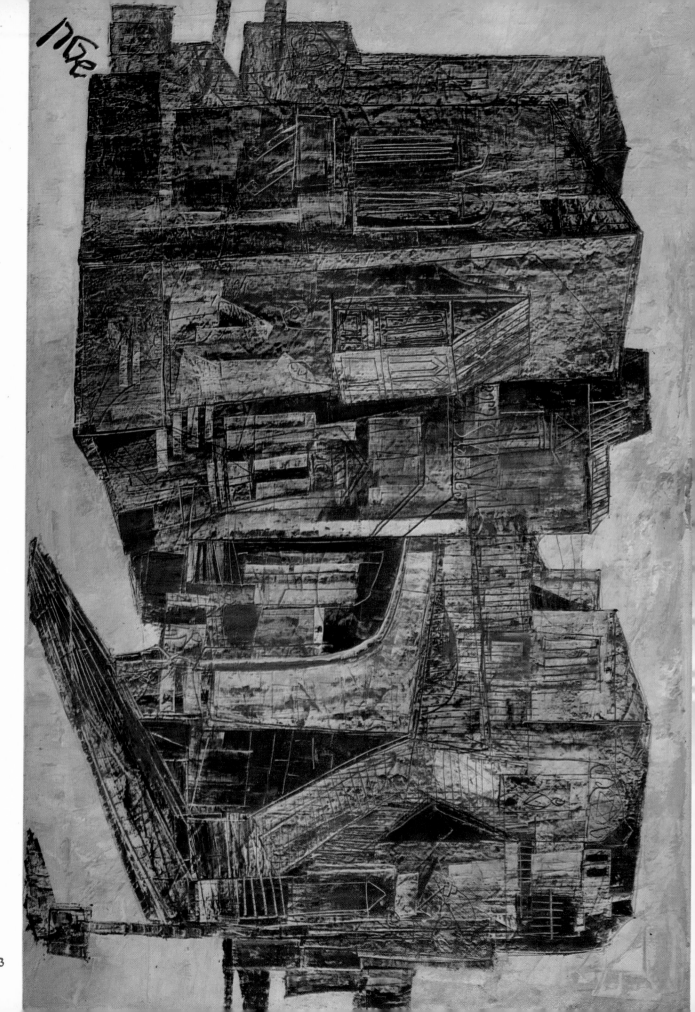

12

8

2

1

ציורים בצבעי־שמן

1. הדייג
2. תינוקות בית רבן
3. הזקן
4. בתי הונגריה
5. בצהרי היום
6. בטבריה
7. בשקיעה
8. ליפתא
9. אברכי משי
10. ערב חג
11. בשמש של סתו
12. על החוף
13. נחלת־צדוק
14. יום גשם
15. מאה שערים
16. "שיר המעלות"

מכתב

The letter

פרחים
Flowers

סבתא
Grandma

חדש וישן
Old and new

תל-אביב
Tel-Aviv

יפו
Yaffo

חדשות בוקר···
...and the morning's news

הביתה

On the way home

לאחר יום עבודה

At the end of the day's work

יסודות ובניין

Laying the foundation

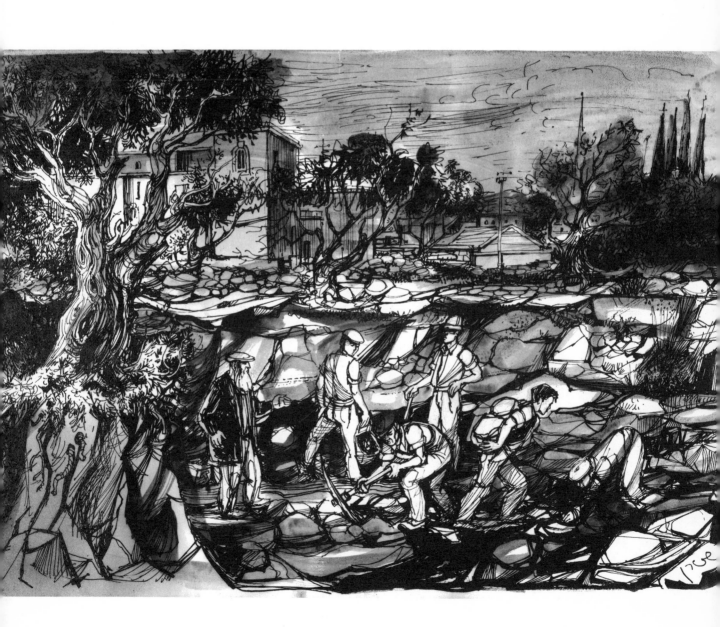

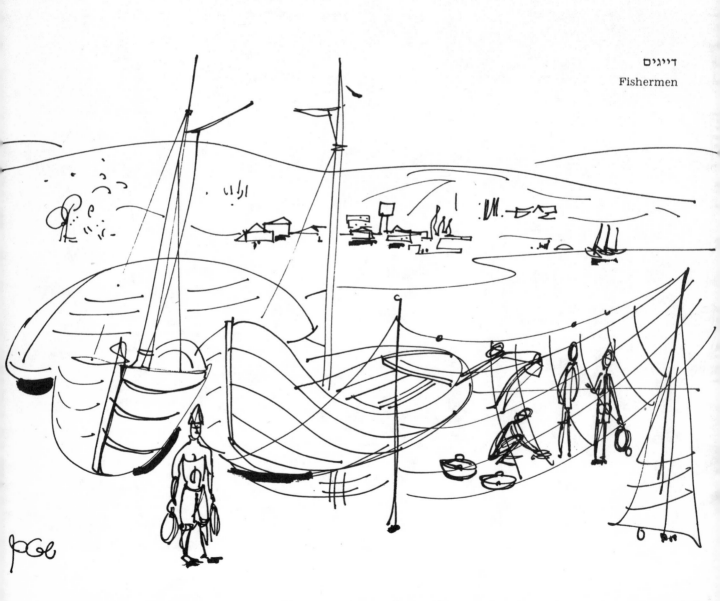

דייגים

Fishermen

מנזרים

Monastaries

רשתות

Nets

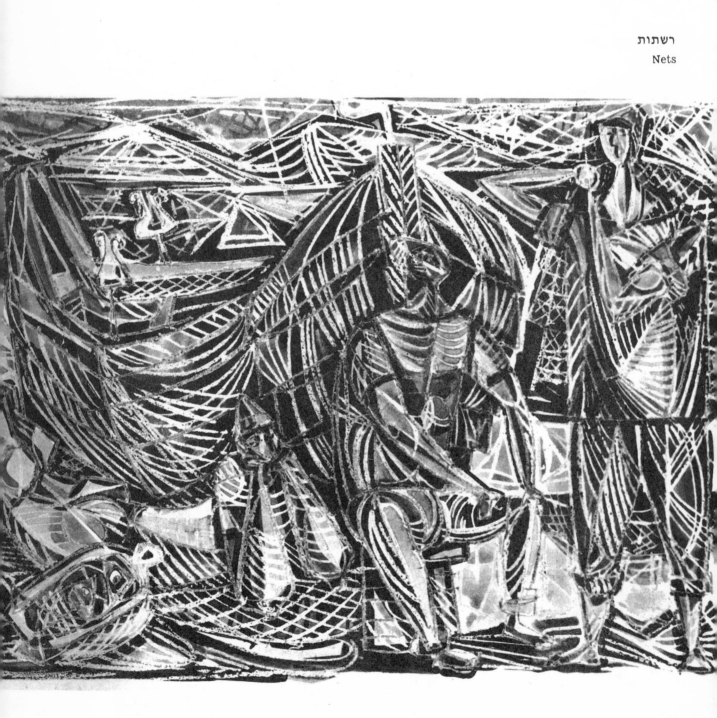

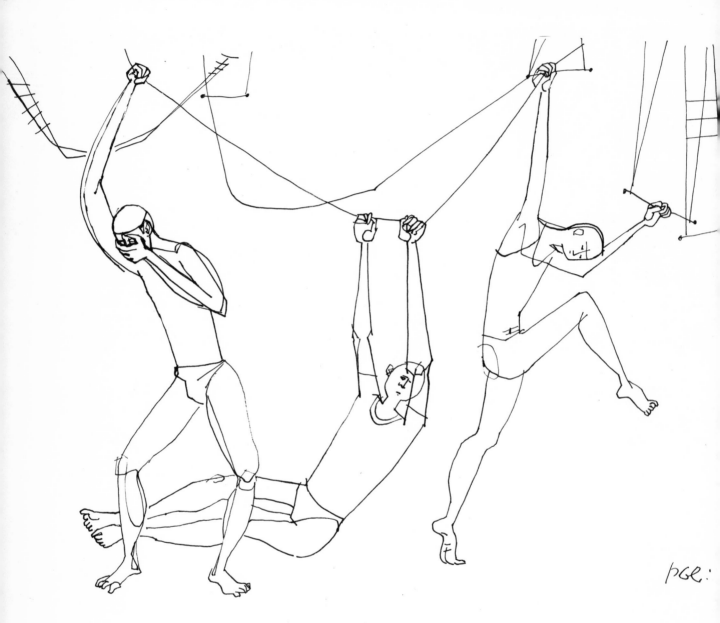

לוליינים

At the circus

כיכר ציון

Zion Square

pol

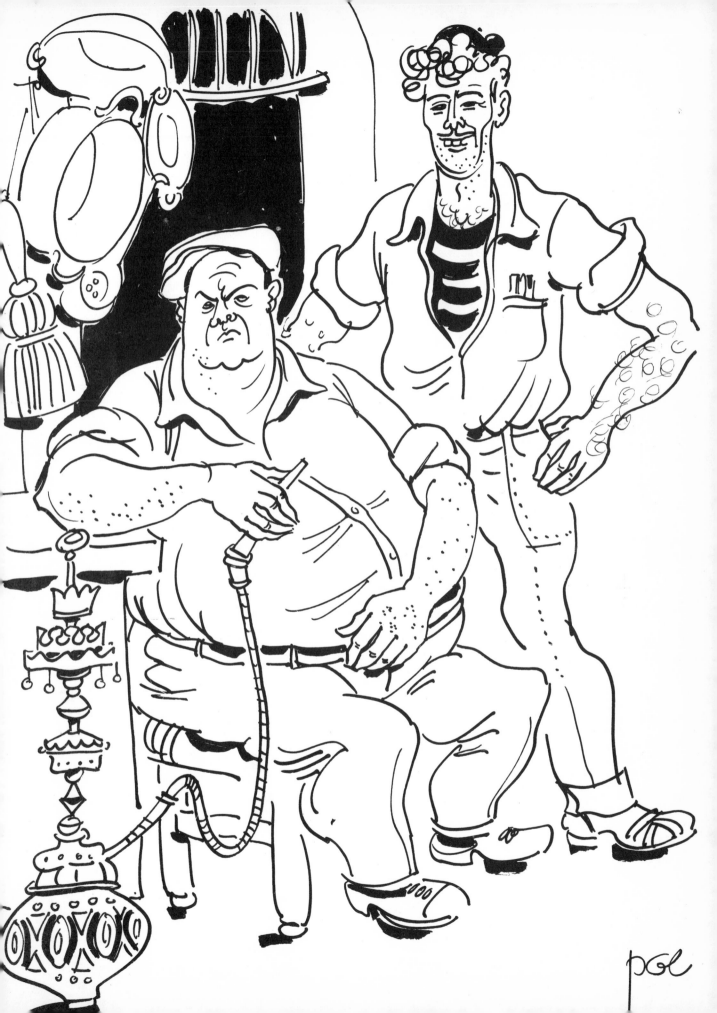

בשוק מאה שערים

The market of Meah Shearim

נחלת צדוק

Nachlat Zadok

אם

Mother

בתי אונגרן

"Hungarian Houses"

המצלבה

The Valley of the Cross

בבית המדרש
In the House of Study and Prayer

רות
Ruth

יום כביסה

Laundry day

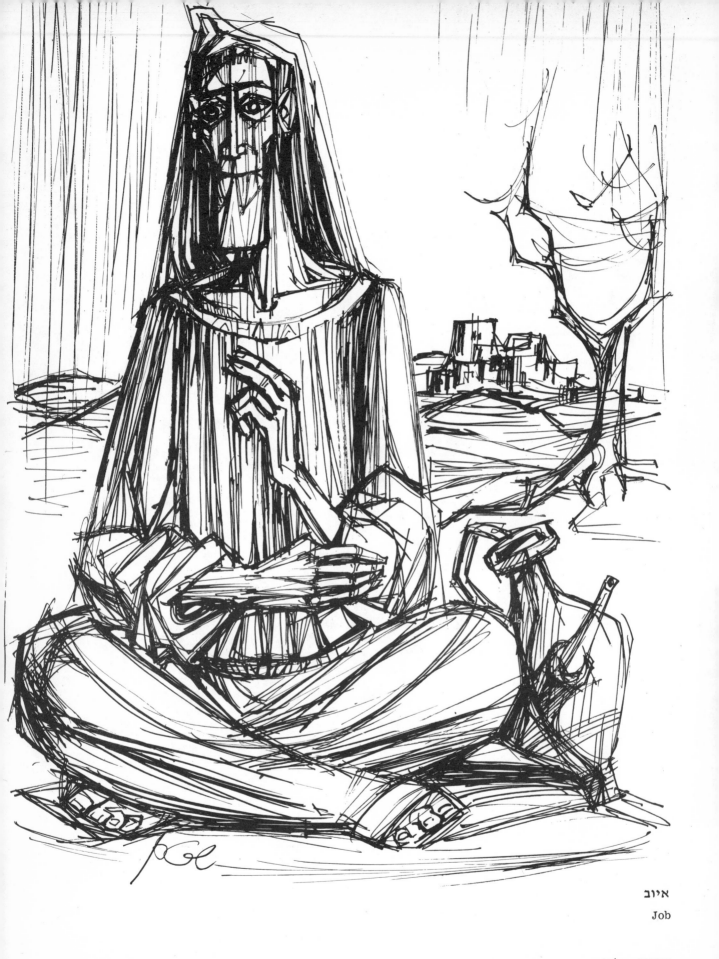

איוב

Job

קידוש הלבנה

The blessing of the moon

מסיק זיתים
Olive gathering

בהרים

In the mountains

מקוננות

Mourners

בדרך לבית הכנסת

On the way to Synagogue

...ושמיים
Heaven

‎...ארץ
...and earth

נטורי קרתא

"The Guardians of the City"

רב
Rabbi

חכמים

Wise men

שערי צדק

Sha'are Zedek

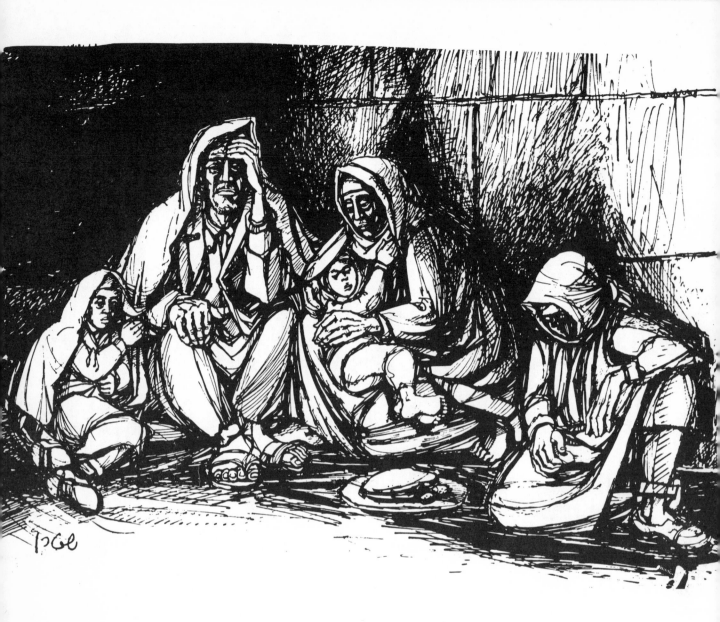

על נהרות בבל

By the waters of Babylon

על כנפי נשרים
On the wings of eagles

לוחמים

Soldiers

מלחמה
War

ובקבוק עראק ...

A bottle of Arak

ש ש - ב ש . . .

. . . and Shesh-besh

אביב בדיזנגוף
סתיו ירושלים

Spring on Dizengoff street
Autumn in Jerusalem

גבינה טרייה
Fresh cheese

המלך · · ·
· · · · · והנסיכים

The princes...
...and the King

סתתים

Stonecutters

על הסכין
Watermelon

גבינה טרייה

Fresh cheese

"בלי סוליות נעליים"
Shoeshine

תנובת השוק

Produce of the market

"כל בו"
General Store

אורי
Uri

מנוחה

At rest

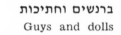

בתערוכה

At the exhibition

רישומים וציורים בצבעי־מים

תאריכים

1923 — נולד בכפר קאיאר, בהרי באקון, הונגריה·

1933 — עבר לבודפשט·

1939 — עלה ארצה עם קבוצת מעפילים באוניה "זכריה"·

1940 — הוחזק במעצר במחנה העולים ה"בלתי ליגליים" בעתלית משך ששה חודשים·

1941 — ראש פינה, ראשון לציון, ואדי סאראר — תחנותיו הראשונות בארץ־ ישראל, כחבר פלוגת העבודה של בית"ר ועליית הנוער· עבד במטעי הטבק, בפרדסים ובסלילת כבישים·

1943 — בעזרת ידידים, ובסיוע עליית הנוער, החל ללמוד בבית־הספר לאמנות "בצלאל" בירושלים, בהנהלת מרדכי ארדון· תקופת לימודיו ארכה שלוש שנים·

1946 — זכה בפרס לתלמיד מצטיין ב"בצלאל" ע"ש הרמן שטרוק·

1946 — מיד עם סיום לימודיו, נתמנה כמורה ליסודות הגרפיקה ולאילוסטרציה ב"בצלאל"· בהוראתו זו הוא ממשיך לשמש עד היום·

1947 — יצא־לאור הספר "מנורת הזהב" לאשר ברש, בלוויית חיתוכי־עץ של יוסי שטרן· ספר זה מסמן את תחילת דרכו כאילוסטרטור· מאז עיטר עשרות ספרים, ביניהם — שירי מרים ילן־שטקליס, פתגמים ומכתמים לחנניה רייכמן, סיפורי א· אשמן, "שלושה בסירה אחת" בעריכת יהודה האזרחי ויצחק שמעוני, סיפורי שקספיר ועוד·

1947 — תערוכת־יחיד ראשונה בגלריה יונס, ירושלים·

1947—48 — שימש כ"צייר צבאי" ב"הגנה", ואחר כך בצה"ל בירושלים· בימי המצור היה חבר־המערכת ועורך גראפי של "עתון המגן", שבועון ההגנה והצבא בירושלים הנצורה· לאחר זאת שימש כצייר של שבועון צה"ל, "במחנה"·

1948 — יצא־לאור "בגיוס מלא", אוסף רישומיו מהווי מלחמת העצמאות·

1948 — תערוכת־יחיד בסטודיו "מקרא", תל־אביב·

1949 — נסע בסיוע מילגה של משרד החינוך לשנת השתלמות בלונדון, ולמד אצל הצייר ג'והן מינטון, מורה ב"רויאל קולג' אוף ארט"·

1950 — שהה בפריז·

1951 — תערוכת־יחיד בבית האמנים, ירושלים·

1951 — יצא־לאור "באוהלי גדנע", אוסף רישומיו מהווי גדנ"ע והנוער בישראל·

1952 — יצא־לאור אלבום רישומים ואקווארלים "ירושלים", בהוצאת סטודיו "מקרא"·

1952 — משנה זו ואילך עבד שנים אחדות כצייר־עתונאי ב"ידיעות אחרונות", "דבר השבוע", "מעריב לנוער" ועוד·

1954 — משנה זו ואילך ערך סדרת סיורים במרכזי אמנות באירופה : יוון, איטליה, צרפת, הולנד ועוד·

1960 — תערוכת־יחיד בגלריה רינה, ירושלים·

1963 — תערוכת־יחיד בגלריה צ'מרינסקי, תל־אביב·

1964 — תערוכת־יחיד בבית העם, ירושלים·

ואילו התמונה השנייה, המאוחרת, נסובה כביכול על אותו נוף עצמו; והיא שונה לחלוטין· אין בה מירשמים ברורים אלא חריטות גדומות, כאילו מתרוצצות לכל עבר· אין אנו יודעים איפה כאן חלון, איפה דלת· הקימור אינו מוביל לחדר, אלא לעומק לא מוגדר, אולי לאין־סוף· המרפסות נבקעות, כמו פצע, מעוקמות, צמודות אל לא־כלום· המדרגות, שאי־פעם הובילו בכל פיתוליהן מקומה לקומה והגיעו לבסוף לעלייה הקטנה הנכספת, מזדקרות עתה בכיוונים אלכסוניים, ועולות ועולות, כלפי לא־מקום· אותו אור מיסטי מאיר עליהן, ויש בו קורטוב נחמה, אולם אין לדעת מניין הוא בא, ומדוע, ומה מקורו, ומה הוא מבקש לנחם·

ייתכן, שאני רואה בתמונות כגון זו מעט מהרהורי לבי· אף כי, כמדומה לי, הדבר לגיטימי לחלוטין· כל צופה רשאי לראות ביצירתו של האמן מה שהוא עצמו, הצופה, מבקש לראות בה· אולם זאת בתנאי, שיש בו הוקרה לאמן, לאישיותו העצמית של האמן, ובתנאי שחקר במידה מספקת ובאובייקטיביות רבה ככל האפשר את אופי יצירתו, מתוך נסיון להבנת דרכו האמנותית המיוחדת לו, דחפיה ויעדיה· מכל מקום, כשאני מסתכל בתמונות אלה, אני חש בהן משהו זר לחלוטין, שלא היה עד כה ביוסי שטרן, ודומה היה כי לעולם לא יבוא אליו: תחושת כאב שאין לבלמו, וסבל, שהוא כאן, ומכיוון שהוא כאן שוב לא יימחק לעולם·

זהו אותו אמן· אף ללא חתימה, קל לזהות את ציירן של התמונות· רצונכם, אפשר לראות בהן את כל המוטיבים שאיפיינו את יוסי שטרן בכל שלבי התפתחותו: הרישום הספונטני, החיוך הקל העולץ, הרומנטיות ללא תיכלה, הבהק הצבעוני, מיקסם הצורות הנארגות זו בזו, האופטימיות· כל אלה נמצאים כאן מפני שהם חלק מאישיותו, כפי שעוצבה אט־אט מאז ימי נעורותו· ובכל זאת אין בהם כדי לטשטש — ואולי יש בהם אף כדי להדגיש — את המוטיב החדש, המאיים, שקראתי לו תחושת כאב שאין לבלמו, וקראתי לו סבל· אירע, כנראה, שאמן השר תמיד על פי דרכו את שירת החיים הגיע משום־מה יום אחד להבטה אל מעבר לחיים·

נשווה נא שתי תמונות זו לזו : הראשונה, המוקדמת, מתארה גיבוב בתים אי־שם בירושלים· ייתכן שאין למצאם בממש ; האמן צירף בהם, לשם מערך צורותיו, דמויות בתים משכונות שונות ואף הוסיף עליהן הרבה מדמיונו, במתואם לסגנונם· לא נוכל לזהותם במדוייק, אבל ללא ספק נצדק אם נאמר „זו שכונה ירושלמית"· תריסי החלונות פתוחים, משורטטים במדוייק, פתחי הקימורים כהים מן הקירות, המדרגות מובילות מקומה לקומה, סורגי השערים חוסמים את החצרות· אלה בתים מוזרים, מצועצעים מעט, בימתיים מעט — אבל אנושיים מאד·

ציינתי את מוטיב הגעגועים ביצירתו של יוסי שטרן. בציור, שכולו התרוננות של צבעים אופטימיים, שכולו אהבה לכל דיוקן מצוייר, שכולו ארציות — האם אפשר לדבר על געגועים? הרי הגעגועים משמעם הבטה כלפי מה שאיננו כבר ולא יהיה עוד, צמיחה לאור הבלתי־קיים וכלפי הבלתי־קיים. געגועים הם תחושת חסרון ולפיכך יש בהם עצב. האמנם ניתן למצאם בציורים עליצים כגון אלה? — מסתבר, שהתשובה לכך היא: כן. אם נטיב להתבונן. היה זה היינריך היינה, כמדומה, שדיבר על „אופטימיות טראגית". ואולי אנו רשאים להשתמש בניסוחו.

* * *

החל משנת 1960 ניכר שלב חדש ביצירתו של יוסי שטרן. אף לפני שלב זה היה מודע, כמובן — ככל צייר בן דורנו — על האסכולות השונות של האמנות המודרנית, המופשטות ברובן. אולם דומה היה כאילו הוא מתעלם מהן, מבעיותיהן ומפתרונותיהן הפלאסטיים, בהיותו מכונס בעולמו שלו, נתון לרישומיו הברורים והבוטחים ולציורי־האקוואראל הפיגורטיביים, בסגנונו המיוחד לו. התפתחותו היתה הדרגתית, זהירה, קשובה כלפי פנים, ללא השתעבדות לציוויים אסתיטיים — יפים ומוצלחים כשלעצמם — שלא הלמו את אישיותו. ואילו מעתה ואילך ניתן להבחין בעליל, שהיכרותו עם האסכולות השונות באמנות המודרנית, ובעיקר בתחום הציור המופשט, שעד כה נדחו על־ידיו, עשויה להיות לו לברכה. השפעות, שהיו עשויות להיות מסוכנות אילו טשטשו את אישיותו, נהפכו לפוריות, מפני שבשלב מסויים של התבגרותו, היה „מוכן" לקלטן ולעכלן. הוא זנח את צבעי המים והחל לצייר בצבעי־שמן. במקום הצבע החד־פעמי, המוטח במשיכת מכחול ספונטנית יחידה על הנייר, אנו רואים מעתה בתמונותיו רקע בהיר, בעומק, ועליו כתמים לא נמרצים, כאילו הססניים, לעתים נוזליים, של צבעים אחרים, מהם כהים ומהם בוהקים, נמזגים זה בזה, ולעתים מעיבים זה על זה, רובד על גבי רובד. במקום קווי הרישום הברורים שלמי ההיקף, אנו רואים מעתה בתמונותיו רישומי חריטות, והחריטות מסתעפות לכאן ולכאן, פותחות וכאילו אינן מסיימות, מסתבכות זו בזו, מרמזות ואינן מפרשות את רמזן. במקום ההתייחסות הברורה, ולוא גם רומנטית, אל הנושא המוגדר, אנו רואים מעתה מירקם צורות חדש, דמיוני לחלוטין, מעוצב בסיגנון מופנם, שאינו דן במקום ובזמן מסויימים אלא במשהו אחר, לא גלוי, נחבא, המצוי מעבר להם. במקום האור הפשוט והנמרץ שהיה פרוש על הציורים, אנו רואים אור אחר, מיסטי, מגיח מתוך תמונות אלה; קודם לכן היה הצבע מואר, עכשיו הצבע מאיר.

ושנית, משום שאף ירושלים עצמה, במידה שהיא דומה לציורים של יוסי שטרן, משתנה בימים אלה ממש, פושטת צורה ולובשת צורה. השכונות הישנות שהוא אוהבן — חלקן נהרסות, וחלקן נדחסות וכאילו נקברות בין אזורים מודרניים. הסטנדרטיות פולשת לכל. פעם היו בתים, כיום יש שיכונים. מיבנים מלבניים רבי־דיוטות, קווים ישרים ומשעממים, מודבקים על פסגות ההרים, מוחקים את ההרים. צבעוניות הלבוש ורבגוניות הדיוקנים מיטשטשים אף הם. יוסי שטרן צייר את ירושלים שלו, הרומנטית, כאילו היא נצחית. בזמנו, צייר כך את הנעורים. אבל ירושלים זו משתנה, היא תהיה אחרת. ומה שהיה בה הווה, וכאילו מתמיד, כבר נהפך לעבר, שלא ניתן להחזיק בו אלא לזכרו בלבד.

חילונית, כאילו היא מתגלה כך, בחיי יום־יום, אף לעינינו. אולם האם זו באמת ירושלים, הרגילה והיום־יומית? האם באמת היינו יכולים לראותה כזאת או בדומה לזאת, אף בלעדיו? — ברור, שהתשובה לכך היא: לא. ראשית, משום שבדרך כלל לא הנושא עצמו קובע ביצירתו של האמן, אלא ר א י י ת הנושא, והיא מגלמת בתוכה מעצם מהותה משהו מאישיותו של האמן. ירושלים היא כפי שהיא, ואפשר לראותה ברבבות דיוקנים ומראות שונים ומנוגדים. יוסי שטרן בחר לראותה כך, ולא אחרת, למעננו, לתארה בשילובי צורותיו וצבעיו, לפאר את פרבריה ואת אנשיה, להעניק לכולם משהו מאהבת החיים והעליצות של אישיותו. בחסרונו של מונח אחר, מדוייק יותר, אני מבקש איפוא לכנות את אמנותו בשם רומנטית. „רומנטית", מפני שנאחזה בעקשנות בחזות המציאות והטבע, כדי לגלם בהם במוחש משאת־נפש שאינה מצויה בהם, והם חייבים כביכול לשאוף אליה.

הנה ירושלים של מטה: ההרים שמסביב, ועצי הזית, והסלעים, אוקיינוס של סלעים. בנייניהם העתיקים של הנחלאות, של מאה שערים, של שכונת הבוכרים — מגובבים זה על גבי זה, שלובים זה בזה במארג פנטסטי, שאף הנועז בין הציירים האבסטרקטיים היה מתקשה להשיגו בדמיונו, חלון מתכופף אל חלון, מדרגות מתפתלות מדיוטה לדיוטה, מבחוץ, באי־סדר שהוא סדר, עליות מסתוריות חורגות ובולטות מכאן ומכאן, כתלויות באוויר, מגדלים צצים מעל מגדלים, וההרים מעליהם. סימטאות מתעקלות, ושערים מסורגים נפתחים אליהן, וקימורים וקשתות וכיפות מדובבים כלפיהן. ואנשים, נשים וטף חיים בתוך כל אלה, מתנועעים תמיד — שכן אלמנט התנועה אינו נעדר לעולם מתמונותיו של יוסי שטרן. כבסים תלויים לכל רוחבו של הרחוב הראשי בשכונת הבוכרים, ונשים כבדות־בשר ומסורבלות מתגלות לעומתנו, גחונות על גיגיות הכביסה. בשוק מחנה יהודה מעורמים אבטיחים, ערימות ערימות גדולות, וכוכים שונים מתגלים, ובהם פירות וירקות מתנובת הארץ, או אף גרוטאות ושברי רהיטים ישנים מוצעים למכירה. וקהל תגרנים וקונים בני עדות שונות, בקלסתרי פניהם ובנוהגי דיבורם ונימוסיהם השונים, בתלבושותיהם השונות — זה "קיבוץ הגלויות", שנעשה אצלנו זה מכבר למושג נדוש, אבל כאן הוא מופיע ברעננות ראשונית לנוכח עיני הצייר, ולנוכח עינינו — קהל זה סובב לעומתנו בעיקולי השווקים, רועש, חי, וקרוב ללב. במאה שערים כבר נעורו המשכימים־לקום ויצאו מבתיהם לתפילת שחרית, והם מהלכים בחשיבות לבושי קפוטות וחבושי שטריימל על אבני המרצפת. תלמידי־ישיבה קטנים וספרי גמרא גדולים תחת בית־שחיים אצים לבתי מדרשיהם, ויוסי שטרן אינו שוכח לסלסל היטב כל שערה בפיאותיהם. בערב מוצפת כיכר ציון בחורים שחרחרים, שתסרוקתם משומנת ושפמפם אמיץ כזנב עכבר מעל שפתותיהם, ומכנסי־ג'ינס הדוקים־הדוקים מדגישים קבל עולם את גמישות גיזרתם הגברית, ונערותיהם מדדות לידם בהקרבת־נפש על עקביהן הגבוהים, מתחנחנות וצוחקות מעגיל־אוזן אל עגיל־אוזן. בה בשעה מאיר ירח בודד על עמק המצלבה, ללא אדם, ובדממה הגדולה אורו סגול וכספי, והסלעים נענים כלפיו באורם, אף הוא דומם, אף הוא סגול וכספי.

יוסי שטרן צייר את ירושלים שלו, כאמור, מתוך אופטימיות ועליצות חיים. והוא ציירה כך, כאמור, כאילו היא ארצית,

נושאיהן של תמונות אלה היו שונים, ובהם דמויות אדם ואף
דמויות חיות, נופים, קומפוזיציות דמיוניות. אולם השליט
בכולם היה נושא אחד. הבה נקרא לו: ירושלים של מטה.
כאן, בירושלים זו, הארצית, החילונית, היום־יומית, הגלויה־
לעין והפשוטה כביכול, מצא יוסי שטרן מקור לא־אכזב למיצוי
צורותיו הצבעוניות. שנות הנעורים חלפו, אבל הרעננות
והראשוניות נשארו כשהיו. שכן, בהסתכלותו בנוף ההרים
והרחובות והבתים של ירושלים, ובנוף האדם של ירושלים,
נראה לו הכל חדש תמיד, כאילו ראה אותו זה עכשיו לראשונה.
החיוך השובבי של הנער נגוז, אבל האופטימיות ועליצות־החיים
נשארו כשהיו. הן התרוננו; הן נעשו עשירות יותר, מפני
שדמיונו של האמן — שהיה נער ועכשיו הוא אדם מבוגר —
נעשה עשיר יותר. הוא שאב מנושאו, תוך כדי הסתכלות,
שפע של צורות וצבעים; הוא שאב מנושאו מה שאנו מכנים
בשם „השראה". והוא העניק לנושאו זה משפע הצורות והצבעים
שנשא בחובו, כאמן, נתן לו חיות נוספת, מימד נוסף.

מחשבתי. לפיכך יש לכנות את ביצועם בשם „עבודה"; אבל, לאמיתו של דבר, הוא השתעשע. הוא נטל גליון חלק, ועוד גליון, הוא התבדח, הוא צחק, והציורים המחייכים נוצרו כאילו מעצמם. הוא שפע ללא הרף רעיונות ציוריים שונים ומשונים. אחדים מהם נהפכו מיניה וביה לציורים שבממש, ורבים מהם התנדפו כלעומת שבאו, מבלי שאיש הצטער על כך, מפני שרבים אחרים באו במקומם. שעות חלפו, ואנו לא חשנו בעייפות. זה היה מעין נשף, ובנשף אין מתעייפים. ואני, שהייתי מנוסה בעבודתי בפגישות עם הומוריסטים רבי־מוניטין, שבחיי יום־יום הם חולי מרה שחורה, ועם יוצרים שופעי אהבת־אדם שבחיי יום־יום הם אנוכיים ושואפי בצע, השתוממתי, בשעות עבודתי עם יוסי שטרן, לנוכח הזהות שבין הצייר לציורו. החיבה לדמות המצויירת, רוחב־הלב, הנדיבות, עליצות החיים — כל אלה היו בו בעצמו, ממש כשם שהיו במכחולו. זהו עולמו המחייך, אמרתי לעצמי, אלה הם הנעורים.

* * *

אולם, בניגוד להשקפת־העולם הראשונית של יוסי שטרן, בנקודת הגיחה שלו, הנעורים א י נ ם נצחיים. והעולם חדל לחייך אליהם, בגסיסתם. אלה מאתנו שעדיין נצמדים אל הנעורים, יכולים לעשות זאת באמצעות רמייה עצמית, או באמצעות געגועים. יוסי שטרן בחר בגעגועים.

דרכו אל הגעגועים היתה קשה ומסובכת. ובה הוטל עליו — על האמן שלכתחילה היה הכל נובע־מעצמו לגבי כשרונו הטבעי — להיאבק עם עצמו, להתייסר, לשאול שאלות ללא פתרון, לחפש את עצמו במבוך האכזרי, שאינו אלא הוא עצמו.

הוא הפך מרשם לצייר. משך שנים רבות צייר בצבעי־מים בלבד. האקווארל היה „נוח" לו: אין צורך לחכות להתייבשותו כדי לחזור ול„ארגן" את התמונה שלב אחרי שלב, הוא חד־פעמי, הוא ספונטני והחלטי כאחת, יש בו רעננות ראשונית. כך הוא, לפחות, בציורו של יוסי שטרן. האקווארל (וכעבור זמן, הגואש) והמירשם נתמזגו יחד בריקמה אורגנית. יש שהצבע הובא בכעין רקע־תפאורה פנטסטי לרישום בשחור. יש שהרקע הצבעוני עצמו הפך לשירטוט, והרישום נמזג לתוכו כעיטור, כהעשרה של טקסטורה. התמונות היו איפוא מירקם של צורות חפשיות, מלאות הפתעות, רעננות תמיד, ושל שלל צבעים, בוהקים לרוב, כגון סגול וירוק רוננים בבהקם.

הוא לא התעלם מהחיים שמסביבו — בקשייהם, בכיעורם, בסבלם. הוא אף ציירם אז כשם שהיו, מבלי לטשטש את האמת, הטראגית לעתים, החבויה בהם. ובכל זאת, משום שהוא היה יוסי, הצייר־הנער המחייך, ולא אחר, עברו אותם חיים עצמם מטמורפוזה, והוצגו בפנינו, והנה הם — הם עצמם, אבל אחרים. ניגודיהם החריפים הפכו לגיחוך; צערם הפך לגיחוך. כיעורם נתקבל בסלחנות, וכך הוגש במסגרתו של הרישום והנה הוא נהפך, לנוכח עינינו ממש, ליופי. יופיים נתקבל בשמחה, רוסן, אורגן, והחיוך פרוש על שמחתו.

היתה מלחמה. מה נורא יותר מן המלחמה? יהיו תוצאותיה מפלה או נצחון, הרי היא עצמה משמעה הרס ופחד והרג ומוות. יוסי שטרן צייר את המלחמה. עיניו היו פקוחות, כעיניו של כל אדם שהשתתף בה, ואף יותר מזאת, משום שהוא אמן. הוא ראה כל שהתרחש מסביבו, וצייר את הכל; אבל מכחולו האיר אפילו על המלחמה באור עלומים וחיוך. הנה לעומתנו בניין מפואר, שנקטע וכאילו נחתך על־ידי פגזים. מכחולו של הצייר משרטט, כאילו בשמחה, את חדריו הפנימיים, את המדרגות ההרוסות והסולמות העולים מקומה לקומה, את הקימורים החשופים, את מחצית העיטורים והקישוטים שנותרו על הגג, את החיילים שאחדים מהם צמודים לעמדות בקירות הבקועים ואחדים מסובים למטה מסביב למדורה. ההרס הפך, בדרך מוזרה, למירקם גיאומטרי חדש של הצורות המצויירות ולהתרוננות של היפה. הנה חייל צעיר; אך יוסי שטרן אינו מציירו פורץ קדימה ברובה מכודן ופניו מעוותים, חייתיים. הוא מציירו יושב על האדמה, המקלע וקובע־הפלדה מונחים לידו, ממרחק נראה כפר הרוס, מסביב קוצים — והקוצים יפים כפרחים — והוא כותב מכתב לאמא. ילד שכותב מכתב לאמא ובעיניו חלום — זוהי המלחמה. הנה שני חיילים יוצאים להרים, ויוסי שטרן משרטט כסילואטה בלבן, מאחור, גבותיהם הארוכים זקופים כמגדלים, רוביהם מזדקרים מעל כתפיהם. הוא אינו נרתע מלקשט את רוביהם בפרחים אחדים, התקועים בתוך הלוע ממש. הם יוצאים אל המלחמה, או שבים ממנה, ואגרטל פרחים צומח בכלי המוות.

זכיתי לעבוד פעמים אחדות עם יוסי שטרן וראיתיו בשעת עשייה. יחד התקנו ספרים אחדים; אני עבדתי בטכסט, והוא עבד באילוסטרציות. „עבד"? — זו אינה מלה נכונה לגביו. רישומיו היו מאורגנים, שלמים, ערוכים היטב, משמעותיים, מלאכת

בתחילה היה הכל פשוט כביכול· יוסי שטרן היה נער· הנעורים דמו לו נצחיים, והוא שר על הנעורים הנצחיים· כשרונו היה טבעי, מתפרץ, ללא מאמץ· כאילו היה זה מעיין שנובע מסלע, פורץ מעצמו, ומימיו זורמים מפני שהם מוכרחים לזרום· הוא רשם בעטו ובמכחולו וכשרשם, ניכרו הישגיו דווקא משום קלילותם, פשטותם, בטחונם העצמי· הקו הברור, הבלתי־ מהסס, קו עדין ועם זאת נמרץ — קו נעורים, שהם בהכרח עדינים ונמרצים — שורטט בהנאה ובביטחה· והוא הציב לפנינו דמויות רבות לאין־ספור, עולם גדוש ילדים ובחורים צוהלים, במעמדים משעשעים, וילדות ובחורות יפות, או לפחות חושבות עצמן יפות ונחמדות· ולכולם חן משלהם, ולכולם שמחת חיים·

יוסי שטרן לא היה מעולם קריקטוריסט, במשמעות המדוייקת של המלה· קריקטורה דנה במצב החברתי או המדיני האקטואלי בכך שהיא מציגה את הנלעג שבו, ולעתים את המכוער ואת האבסורדי· חכמתה עוקצנית, צחוקה מר· כל אלה ניגודיים לדרכו· לא הייתי מכנה אותו אף בשם הומוריסט, למרות שיסוד ההומור ניכר היטב במרבית רישומיו· דומני, שהמונח ההולם ביותר לשלב רישומיו הראשונים הוא — ה ח י ו ך· הוא חייך· מפני שהנעורים מחייכים אל העולם והעולם חוזר ומחייך אל הנעורים· לעתים, נפרש החיוך יותר, והיה צחוק· לעתים, נקמץ החיוך, והיתה דממה, והיתה אפילו עצבות· אבל אפילו עצבות זו היתה עצבות מחייכת·

נדפס בישראל 1965

הטקסט סודר בדפוס התחיה בע״מ ירושלים.
הפילמים, לוחות האופסט והמונטג׳ צולמו והוכנו ע״י ״גרפאור״ ת״א.
נדפס בדפוס אופסט ישראלי ליצוא בע״מ, תל-אביב.

יוסי שטרן

רישומים וציורים

מבוא מאת

יהודה האזרחי

המכון להוצאה לאור בישראל בע"מ

יוסי שטרן